Dimetrodon

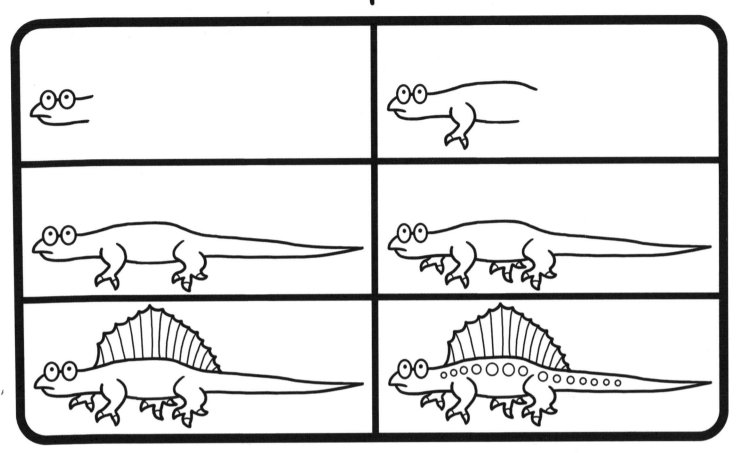

Apatosaurus

Procompsognathus

Pterodactyl

Ankylosaurus

Goyocephale

Isanosaurus   Ceratosaurus

Velociraptor

Iguanodon

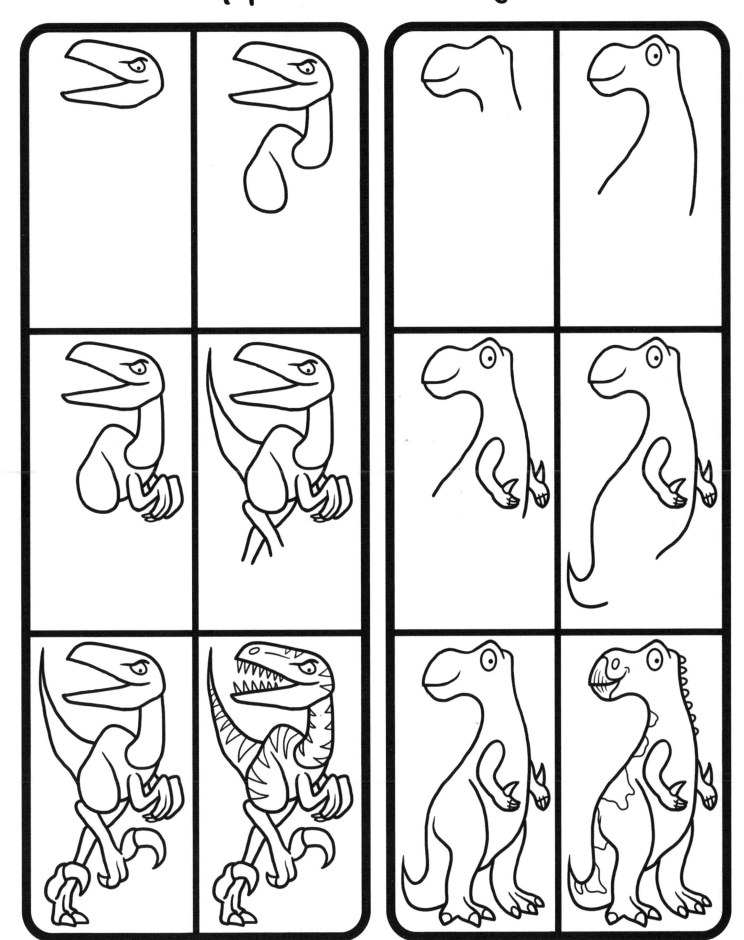

Diplodocus

Mongolosaurus

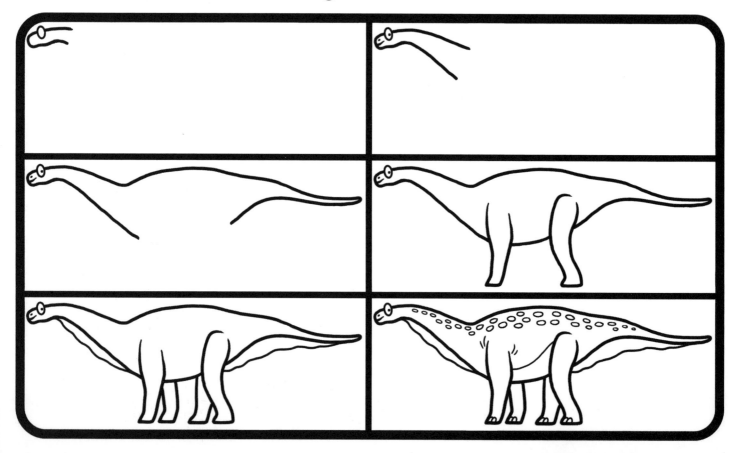

Brachiosaurus

Stegosaurus

Amargasaurus

Antarctosaurus

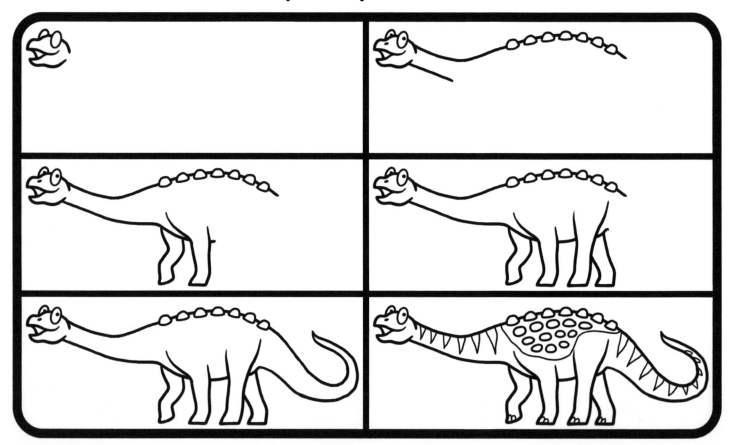

omeisaurus

Triceratops

coelophysis

ornitholestes

Muttaburrasaurus   Tyrannosaurus Rex

Pachycephalosaurus   Parasaurolophus

Troodon

Corythosaurus

Protoceratops

Psittacosaurus

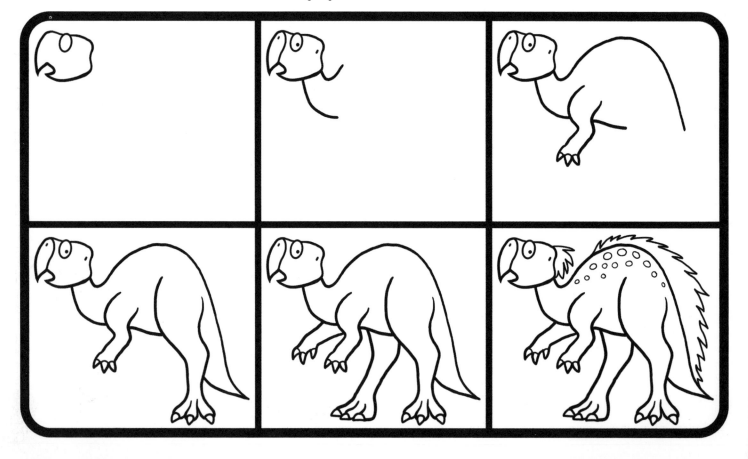

Spinosaurus

Archaeopteryx

Kentrosaurus

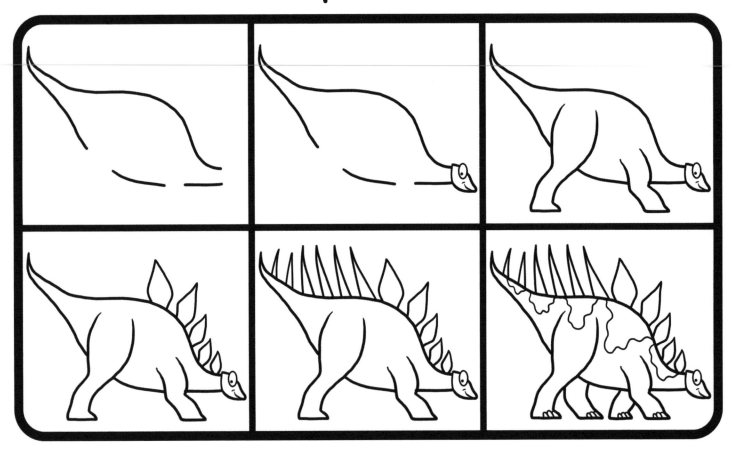

Bagaceratops

Conchoraptor

Allosaurus

Zephyrosaurus

Rahonavis

Rhamphorhynchus   Dilophosaurus

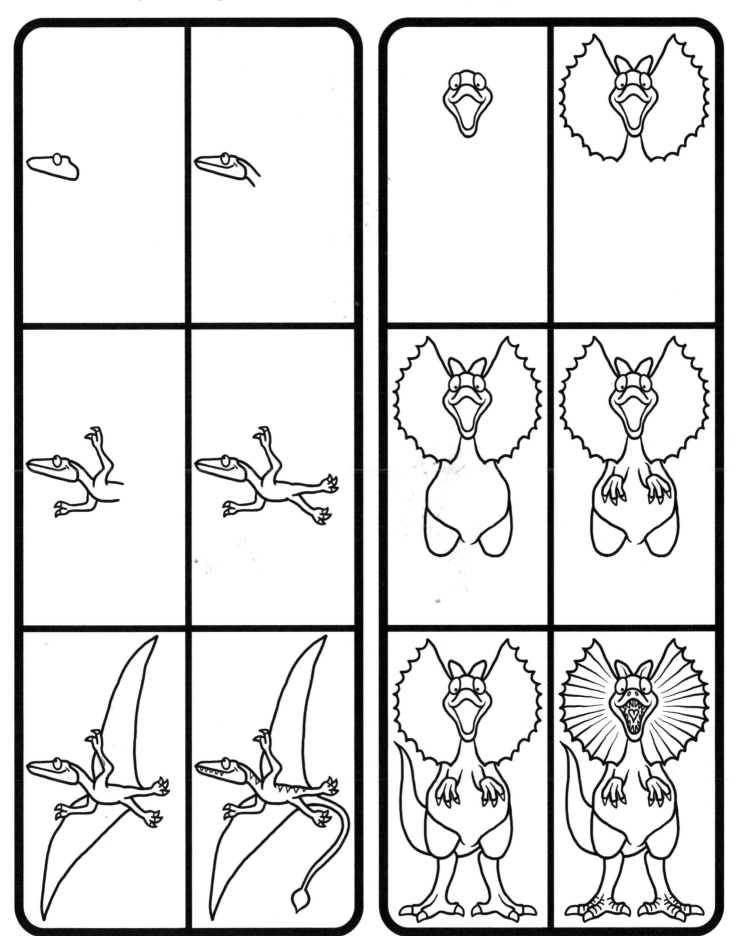

Stenopelix

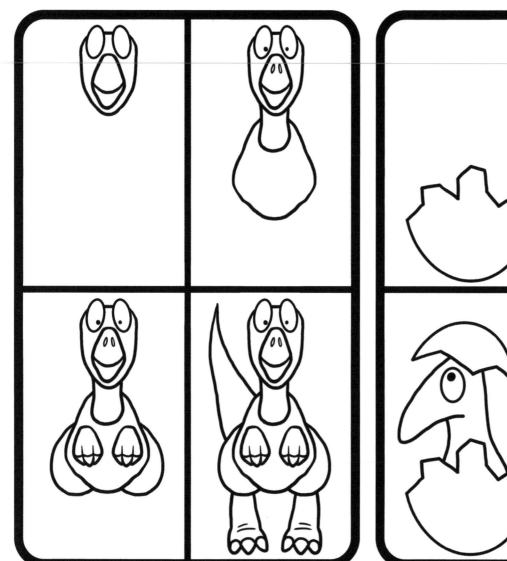

Baby Dinosaur

Estemmenosuchus

Ammosaurus

Yinlong

Antarctopelta

Archaeoceratops

Isisaurus

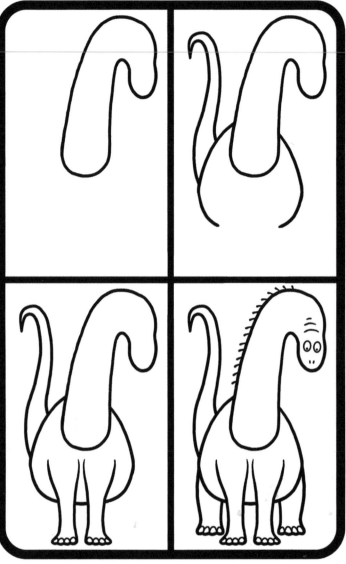

Sinocalliopteryx

Staurikosaurus

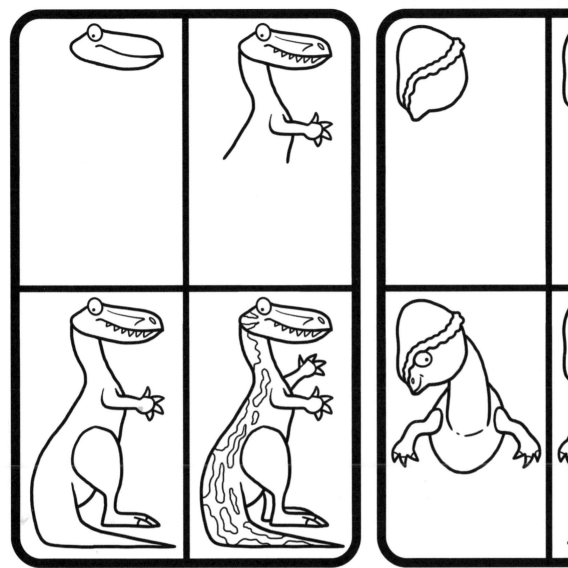

Stegoceras

Dracorex

Hypsilophodon

Harpymimus

Mavisaurus